BATMAN
AU VOLEUR !
P'TIT TOME
Albin Michel

1
PAUVRE PENNY PLUNDERER !

Penny Plunderer sourit, satisfait de son butin. Il a enfin réussi à s'introduire dans le coffre-fort de la banque de Gotham City. Il a mis des mois entiers à élaborer son plan. Aujourd'hui, il en est sûr, tous ces sacrifices en valaient la peine. Traînant un énorme sac de plus de vingt kilos, Penny Plunderer tourne le dos au bâtiment. À lui la belle vie ! Toutes ces pièces valent le double de leur poids... en or ! Il ferme les yeux pour profiter du moment...

Penny Plunderer ne voit rien venir. Ni son ennemi, ni le coup de poing qu'il reçoit en pleine figure. Killer Croc a atteint sa cible. Touché en plein visage, Penny Plunderer s'effondre.

Killer Croc se tient devant lui. La force que dégage cet étrange individu le rend effrayant. Haut de plus de deux mètres, chaque partie de son corps est recouverte d'épaisses écailles vertes. Il observe Penny Plunderer et esquisse une drôle de grimace.

– Tous ces longs mois de préparation…
s'amuse-t-il. Et moi, je récupère le butin
d'un simple coup de poing.

Killer Croc ramasse le sac.

– C'est ce qu'on appelle se faire de
l'argent facile ! se réjouit-il.

Killer Croc ouvre la bouche d'égout
située à côté de lui, saute dedans et
disparaît.

Dix minutes plus tard, Batman gare sa
Batmobile dans une ruelle voisine. Il
lance un grappin dans les airs.

Il s'élance et atterrit directement sur le toit de la banque, prêt à observer la scène. En bas, la rue est déjà envahie par les agents de police. Ils viennent passer les menottes au voleur du jour, Penny Plunderer.

– Pourquoi m'arrêtez-vous ? s'écrie-t-il. Je viens d'être dépouillé !

– Après avoir toi-même cambriolé la banque ! lui rappelle un agent. Ne t'en fais pas, quand nous trouverons le type qui t'a volé ton butin, nous l'arrêterons aussi.

Si vous arrivez à l'attraper, pense Batman, du haut de sa cachette.

Depuis plusieurs semaines, Killer Croc sème la terreur à Gotham City. Il assiste aux cambriolages et dépouille les voleurs de leur butin. Killer Croc n'ose pas se mettre en travers du chemin du Joker ou de Clayface. Alors il choisit des amateurs de la trempe de Penny Plunderer.

Seuls deux hommes n'ont pas encore fait les frais de son plan. Mais ce n'est qu'une question de temps pour que Kite Man et Mr. Polka-Dot se fassent attaquer par Killer Croc. *Si je les trouve,* se dit Batman, *j'attraperai Killer Croc.*

2
VOL DE
CERFS-VOLANTS

Ni une ni deux, Batman rejoint sa Batmobile. Grâce à l'ordinateur de bord, il se connecte à l'unité centrale de son quartier général, la Batcave. Là, il télécharge les dossiers des trois criminels : Killer Croc, Kite Man et Mr. Polka-Dot. Celui du géant est dix fois plus rempli que celui des deux autres. Rien d'étonnant à cela. Killer Croc est l'un des plus dangereux malfrats de tout Gotham City. Sa force et sa vitesse, sans parler de ses griffes

pointues et de ses dents acérées, font de lui un adversaire redoutable.

À côté, le dossier de Kite Man paraît ridicule. La principale information que Batman y relève est la suivante : Kite Man est un passionné de cerfs-volants. *C'est une blague*, pense le justicier en fronçant les sourcils.

Le quartier culturel de Gotham City est composé de plusieurs hauts bâtiments luxueux. C'est ici que se trouvent tous les musées de la ville. Le musée de l'Astronomie fait plus de neuf étages. Mais ce n'est rien comparé au musée de la Guerre qui en compte quatorze !

Le département consacré à l'art des cerfs-volants occupe le dernier étage d'un des plus vieux bâtiments. Très peu visité, il est seulement sécurisé par un cadenas rouillé.

Depuis plusieurs jours, la clé de l'entrée principale a disparu. Kite Man l'a volée. Et aujourd'hui, il est là, prêt à dévaliser le musée. Il insère doucement la clé dans la serrure.

La porte s'ouvre brusquement devant lui.

– Entre, l'invite alors Batman. Nous devons parler.

– Comment as-tu fait pour entrer ? s'étonne Kite Man. Est-ce que tu vas m'aider à cambrioler le musée du Cerf-volant ?

– Non, répond Batman. Je ne suis pas là pour ça.

– Bien, dit le voleur. Je ne m'attendais pas à ce qu'une âme charitable comme la tienne vienne aider un maître du crime comme moi ! Prépare-toi à subir la fureur de mes cerfs-volants !

Kite Man s'apprête à attraper un de ses cerfs-volants quand Batman sort un Batarang de sa ceinture.

– Aïe ! se plaint Kite Man. Ça fait mal !

– Du calme, lui conseille Batman. J'essaie de t'aider. Killer Croc s'est attaqué à tous les voleurs dans ton genre. Ces deux derniers jours, il s'en est pris à L'Horloger, à Calculator et à Penny Plunderer. Tu es le prochain sur la liste.

Kite Man n'en croit pas ses oreilles.

– Dans mon genre ? se défend-il. Je n'ai rien à voir avec L'Horloger, Penny Plunderer ou Calculator. Ces gars sont dingues. Moi, je ne suis pas fou ! Regarde, je viens cambrioler le musée du Cerf-volant !

– Je ne suis pas venu là pour parler de ton rang parmi les criminels de Gotham City, réplique Batman en perdant patience. Je suis là pour te protéger de Killer Croc.

– Toi ? Me protéger ? s'amuse Kite Man. C'est la meilleure ! Si tu ne l'as pas encore remarqué, c'est moi qui ai les cerfs-volants. Pas toi.

Le voleur se rapproche de Batman.

– Et si d'après toi, je fais partie de cette bande de petits criminels, continue-t-il, pourquoi n'as-tu jamais réussi à m'attraper ?

Les deux hommes pénètrent dans le musée. Batman se penche vers Kite Man.

– Ça n'en valait pas la peine, rétorque-t-il. La police s'en est toujours chargée elle-même, et ça, sans aucun problème.

– Ils ont eu de la chance la dernière fois, fait Kite Man. Et aussi celle d'avant...

Batman est énervé. Il n'a pas le temps de se disputer avec un voleur de la trempe de Kite Man.

Il s'apprête à mettre fin à cette conversation stérile quand il est soudainement interrompu par un grand bruit. Une énorme masse verte vient de se fracasser contre la fenêtre qui explose en mille morceaux...

3
KITE MAN CONTRE KILLER CROC

Killer Croc se tient au milieu des éclats de verre.

– Mets-toi derrière moi ! conseille Batman à Kite Man.

– Je suis assez grand pour me défendre moi-même ! riposte le voleur. J'ai mes cerfs-volants !

Kite Man s'empare de deux cerfs-volants. Mais avant d'avoir pu s'en servir, Batman le pousse dans le hall du musée et ferme la porte derrière lui.

Puis, il se retourne vers Killer Croc qui avance dangereusement dans sa direction.

– Je ne sais pas ce que tu fais là, Batman, lance Killer Croc, mais je ne veux pas me battre avec toi. Tu devrais me remercier. Je fais ton job en dépouillant les criminels.

– Moi, je les arrête ! précise le Chevalier Noir. Toi, tu les voles. Ce qui fait aussi de toi un criminel.

Batman est prêt à combattre.

– Ce qui signifie que je dois t'arrêter, ajoute-t-il.

– Bonne chance, fait Killer Croc en

levant les poings. Je suis deux fois plus fort que toi !

Killer Croc n'a pas tort. Il est aussi bien plus rapide. En un éclair, il décroche une énorme vitrine du mur.

– Arrgh ! lâche-t-il en soulevant la lourde pièce de verre.

Des dizaines de cerfs-volants s'en échappent. Killer Croc la lance sur Batman qui l'esquive de justesse. La vitrine finit sa course à l'entrée de la pièce, fracassant par la même occasion le bois de la porte.

Kite Man en profite pour rejoindre les deux hommes.

– Tu devrais être beaucoup plus prudent, Batman, s'indigne-t-il, quand tu pousses quelqu'un ! Tu aurais pu casser l'un de mes cerfs-volants !

Batman n'a pas le temps de répondre. Il se jette à terre pour éviter le poing de Killer Croc.

WHOOOOSH!

Raté ! Le géant n'a pas été assez rapide... Cette fois-ci ! Mais déjà, il empoigne Batman et le soulève.

– Salut, Killer Croc, lance Kite Man. On ne s'est jamais rencontrés, je crois. Je me présente. Je suis Kite Man et je fais partie des dangereux criminels de Gotham City.

Killer Croc est surpris. Il n'a pas le temps de s'occuper de cette vermine.

– Killer Croc, ajoute Kite Man. Batman croit que je suis sur la liste des criminels ridicules que tu tentes de voler. Tu ne penses pas que je suis aussi dingue que ces types, si ?

– Dingue ? Non ! lâche Killer Croc tout en envoyant Batman au sol.

– Le tout dernier sur ma liste, c'est Mr. Polka-Dot, poursuit-il. Lui, il est dingue. Toi, tu es simplement ridicule.

Batman profite de l'inattention de son agresseur pour contre-attaquer. Il lance un énorme coup de poing sur Killer Croc.

Le géant est touché à l'estomac. Il riposte alors en frappant Batman qui s'effondre. Puis il lui lance un énorme coup de pied. Batman ne bouge plus. Il est inconscient.

Le géant se retourne ensuite vers Kite Man et se moque.

– Tu cambrioles un musée rempli de cerfs-volants. Rien qui ne vaille la peine que je te dépouille !

Killer Croc se dirige vers la sortie quand Kite Man lui barre le chemin. Il le regarde et pointe du doigt l'un des vieux cerfs-volants qui tapissent les murs de la pièce.

– Si tu ne connais pas la valeur d'un cerf-volant Airfoil de 1957, ose Kite Man, c'est toi qui es ridicule !

Killer Croc hausse les sourcils. Il s'arrête un instant.

– Combien ça vaut ? demande-t-il, intéressé.

– Au moins sept

Killer Croc secoue la tête. Il pousse Kite Man et continue son chemin vers la sortie.

– Tu peux te moquer de moi, grogne le voleur, mais je ne vais pas rester là sans rien dire alors que tu insultes un Airfoil de 1957 ! Prépare-toi à combattre l'incroyable pouvoir des cerfs-volants !

Kite Man s'empare d'un cerf-volant et le lance en direction de Killer Croc.

Il atterrit droit dans le plafond et retombe par terre.

– Hum, fait Kite Man, on dirait que cet endroit est trop petit pour que mes cerfs-volants puissent voler. Est-ce que ça te dérange si on continue notre combat dehors ?

– Pas de problème, glousse Killer Croc.

Le géant attrape alors Kite Man et s'approche de la fenêtre brisée.

– Noooon ! s'écrie l'homme.

Killer Croc est sans pitié.

– Voyons si Kite Man sait voler ! s'amuse-t-il en le laissant tomber dans le vide.

Au même moment, un Batarang vient percuter Kite Man, une corde s'enroule autour de ses jambes. Le voilà suspendu par les pieds. Batman est vivant !

– J'ai assez perdu de temps, annonce Killer Croc. Heureusement pour moi, Mr. Polka-Dot est en train de voler quelque chose qui en vaut vraiment la peine !

Sur ces mots, il saute dans le vide, et de la rue, plonge de nouveau dans les égouts.

Impossible pour Batman de le suivre ! Seule la force de son bras retient Kite Man dans le vide. S'il le lâche, il meurt. Au prix d'un incroyable effort, il réussit à remonter Kite Man.

– Trouve-toi un endroit où te mettre à l'abri pendant que je m'occupe de Killer Croc, lui conseille Batman sans même attendre de réponse.

Il saute par la fenêtre et se lance tout de suite à la poursuite d'un des plus dangereux criminels de Gotham City.

4
AU SECOURS DE MR. POLKA-DOT

De retour dans la Batmobile, Batman active le sonar du tableau de bord. Connecté aux égouts de la ville, l'appareil est censé repérer le moindre mouvement.

Chaque signal sonore correspond aux résultats de la recherche. Rien. Toujours rien.

Killer Croc est introuvable. Batman désactive le sonar et se branche à la fréquence radio de la police.

Trois informations attirent son attention : une bagarre à l'asile d'Arkham, le braquage d'une boulangerie et un vol au Département de l'Organisation des Transports de la ville. Le Chevalier Noir freine brusquement et fait demi-tour. *Le Département de l'Organisation des Transports est aussi connu sous les initiales D.O.T.*, pense Batman. *S'il y a un cambriolage là-bas, il est certain que Mr. Polka-Dot y est pour quelque chose. Le trouver, c'est mettre la main sur Killer Croc.*

Un moment plus tard, Batman sort de

la Batmobile et se cache sous une voiture, dans un parking occupé par des camions-poubelles et des chasse-neige. Soudain, il entend un bruit fracassant.

Un camion-poubelle arrivant tout droit du ciel, vient écraser la voiture sous laquelle il se cache. Le héros a tout juste le temps de s'en extirper. À une seconde près, il était pris au piège.

– Oh non ! lance Killer Croc. Je t'ai loupé !

À la simple force de ses bras, le géant

À la simple force de ses bras, le géant soulève une balayeuse électrique. D'un bond, Batman se réfugie entre deux camions dans l'obscurité du parking. Seule la pleine lune laisse passer un peu de lumière. Les ombres des véhicules s'étirent sur le sol. Le justicier se glisse discrètement dans le labyrinthe formé par les engins. *Je dois trouver Killer Croc avant qu'il ne me trouve,* pense Batman.

Telle une chauve-souris, il décide d'utiliser son ouïe. Il respire profondément, ferme les yeux et se concentre sur les bruits qui l'entourent : sa lente respiration, le trafic des voitures dans la rue, et des pas... *Killer Croc !* se dit-il.

Sans un bruit, Batman se fond parmi les ombres des véhicules. Là ! Killer Croc se tient juste devant lui, à une centaine de mètres. Et le géant ne semble pas avoir remarqué la présence de son ennemi.

Batman sort un tout nouveau Batarang de sa ceinture. Il contient un fort tranquillisant capable d'endormir un rhinocéros. Avec un peu de chance, il contiendra assez de liquide pour pouvoir venir à bout de Killer Croc. *Ça ne va pas être facile,* pense le justicier. *Les écailles qui composent le corps de Killer Croc sont aussi solides qu'une armure.* Mais comme tout criminel, Killer Croc a un point faible.

Une minuscule partie de son corps n'est pas recouverte d'écailles. Batman doit être précis dans ses gestes. Il n'aura qu'une chance, une seule.

Il prépare son Batarang et le lance de toutes ses forces vers Killer Croc. Dans l'obscurité, l'arme disparaît. À ce moment-là, une voix résonne dans le parking :

– Hé, Batman !

Killer Croc se retourne d'un coup et aperçoit Batman. Le Batarang fonce sur lui à une vitesse folle.

Le géant frappe l'objet qui se détourne de sa course. Batman regarde autour de lui. Qui l'a appelé ainsi ?

Il repère alors un homme chauve dans un costume à petits pois qui court vers lui.

– Je n'ai jamais pensé dire ça un jour, lance l'homme, mais je suis content de te voir, Batman ! J'étais en train de faire mes petites affaires en volant deux ou trois choses ici, quand Killer Croc...

Batman ne lui laisse pas le temps de finir sa phrase. Il assomme Mr. Polka-Dot.

La police s'occupera de lui, décide-t-il. *Je n'ai pas une minute à perdre.*

Batman se saisit d'un nouveau Bata-rang. Il cherche Killer Croc du regard et le trouve, toutes griffes dehors, près d'un camion-poubelle.
– Arghh ! souffle le monstre en jetant l'engin vers son ennemi.

Batman plonge par terre. Le camion n'est pas passé loin de lui !

L'énorme engin atterrit sur une voiture qui explose.

Deux autres véhicules s'écrasent près de Batman. Là encore, il les esquive de justesse. Il se faufile entre les engins du parking et saute dans un chasse-neige. Il met le contact puis appuie brutalement sur la pédale d'accélération.

Il fonce droit sur Killer Croc. Surpris, le géant n'a pas le temps de se dégager.

Il est pris au piège ! Le chasse-neige l'envoie violemment dans le mur. Batman descend de son véhicule. *Mais... Où est passé Killer Croc ?* s'étonne-t-il.

Le criminel n'est plus là. Soudain, Batman est tiré par l'arrière. De froides griffes lui serrent le cou.

– Ça fait mal, hein ? lance Killer Croc.

Batman se débat pour se libérer mais il est incapable de lutter contre la force surhumaine de Killer Croc. Rapidement, il se rend compte qu'il ne lui reste aucun espoir d'échapper aux griffes du géant.

Soudain, son regard est attiré par une ombre dans le ciel...

Batman n'a plus qu'à espérer. À espérer que cette ombre ne soit pas la dernière qu'il verra…

5
DEUX
CONTRE UN

Très vite, Batman comprend que l'ombre est celle de Kite Man. Il est perché sur le toit d'un bus.

– Eh bien… ironise Kite Man. Regardez qui a besoin de mon aide, maintenant !

Batman continue de se débattre et Killer Croc de resserrer ses griffes.

– Tu ne le mérites pas, lâche le voleur, mais je suis sur le point de te sauver. Kite Man lance un énorme cerf-volant en direction de Killer Croc.

Le choc est si brutal que le cerf-volant se déchire. Emprisonnant Batman d'une main, Killer Croc tire de l'autre sur la ficelle du cerf-volant tenu par Kite Man.

– Aaaaah ! crie ce dernier, soudain agrippé par le cou.

– Vous m'avez fait perdre trop de temps, tous les deux, s'énerve Killer Croc.

Le géant les jette dans le fond d'une bétonnière.

CRUNCH! CRUNCH!

Il écrase le métal. Batman et Kite Man sont pris au piège...

Les sirènes de la police se font entendre. La police sera là d'ici quelques minutes. Batman parvient à sortir de sa ceinture un microscopique laser. Il active les rayons qui commencent à creuser un trou dans le métal...

De l'autre côté du parking, le géant est en train de charger des voitures dans un énorme camion. Puis, il s'installe derrière le volant et met le contact.

En un éclair, Batman surgit et donne un grand coup de pied dans les côtes de Killer Croc. Le criminel est propulsé en dehors du camion.

– Tu es un homme mort, Batman ! hurle-t-il.

– Maintenant, Kite Man ! crie alors Batman.

Kite Man apparaît, manipulant un cerf-volant. Killer Croc ricane mais il ne voit pas le Batarang rempli de tranquillisant qui est attaché au cerf-volant. Adroitement, Kite Man atteint la poitrine de Killer Croc. En plein dans le mille ! L'effet du tranquillisant est immédiat. Le criminel s'écroule.

Avant même que Batman ait pu remercier son partenaire d'un jour, la police débarque.

– Désolé, Kite Man, lâche-t-il. J'ai bien peur de ne pas pouvoir te laisser repartir libre…

– Ce n'est pas grave. Quand on saura que je suis en prison, j'aurai enfin le droit à tout le respect que je mérite.

Les agents traînent le corps inconscient de Killer Croc jusque dans le véhicule blindé.

– Je suis celui qui a réussi à faire tomber Killer Croc ! frime Kite Man.

– Il est bien plus dangereux qu'il en a l'air, les gars, affirme le justicier. Mettez-le vite derrière les barreaux !

Resté seul, Batman lance son grappin, s'envole dans les airs et se pose sur le toit du Département de l'Organisation des Transports. Il ne peut s'empêcher de sourire.

Ce soir, j'ai arrêté un monstre, pense-t-il, *mais je crains d'en avoir créé un nouveau !*

KILLER CROC

NOM : Waylon Jones
ACTIVITÉ : Criminel
BASE : Égouts de Gotham City

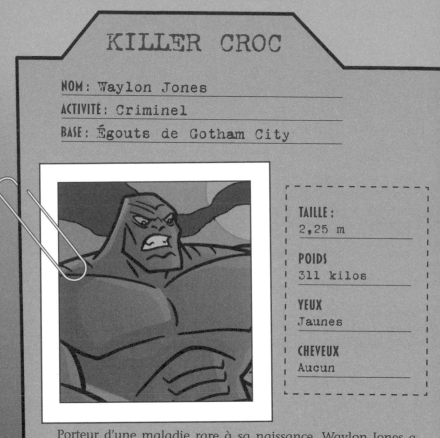

TAILLE :
2,25 m

POIDS
311 kilos

YEUX
Jaunes

CHEVEUX
Aucun

Porteur d'une maladie rare à sa naissance, Waylon Jones a toujours eu une peau verte et écailleuse. Considéré comme un monstre, il décide d'utiliser son apparence effrayante pour terrifier ses ennemis. Il se lance dans une carrière de lutteur professionnel et devient rapidement un champion dans sa catégorie. Après être venu à bout de tous ses adversaires, Killer Croc réalise le véritable pouvoir de sa force. Il commence alors à utiliser sa plus grande qualité pour rejoindre les rangs des plus dangereux criminels de Gotham City. Dès lors, Batman l'ajoute à la liste de ses ennemis.

D.P.G.C.

DÉPARTEMENT DE POLICE DE GOTHAM CITY

- *Killer Croc est atteint d'une maladie de peau (epidermolytic hyperkeratosis) qui recouvre son corps d'écailles vertes très épaisses. Cela le protège des lames de couteaux et des armes à feu. Son apparence est proche de celle d'un crocodile.*

- *Un jour, Killer Croc a demandé à un scientifique de le guérir de sa maladie. Le traitement n'ayant eu aucun effet, le criminel s'est emparé de l'homme et l'a avalé tout cru.*

- *Avec ses griffes acérées et ses dents tranchantes, Killer Croc est l'un des plus dangereux malfrats de tous les temps. Victime de crises de rage, il est imprévisible et possède un véritable penchant pour le meurtre.*

- *Ses super pouvoirs sont impressionnants. Killer Croc est doué d'une force démesurée, d'une rapidité exceptionnelle mais aussi d'un pouvoir de guérison. Au cours de combats mortels, il peut panser ses blessures et faire repousser ses membres arrachés.*

CONFIDENTIEL

TABLE DES MATIÈRES

Collection dirigée par Lise Boëll

Publication originale : Stone Arch Books

Copyright © 2012 DC Comics.
BATMAN and all related characters and elements
are trademarks of and © DC Comics.
(s12)

BATMAN created by Bob Kane
Texte : Scott Sonneborn
Illustrations : Mike Decarlo, Erik Doescher et Lee Loughridg

Adaptation française :
© Éditions Albin Michel, S.A., 2012
22 rue Huyghens, 75014 Paris
www.albin-michel.fr

Traduction : Ophélie Doucet
Conception éditoriale : Lise Boëll
Éditorial : Marie-Céline Moulhiac et Céline Schmitt
Direction artistique : Ipokamp

ISBN 978-2-226-24124-5
Loi n°49-956 du 16 juillet 1949 sur les publications destinées à la jeunesse
Achevé d'imprimer en France par Pollina - L61081A
Dépôt légal : juillet 2012